訳者より

この絵本は、前作『ようこそ！あかちゃん』と同様に、性や外見、障がい、宗教など、あらゆる多様性を意識してつくられています。そのため、みなさんの日常では聞きなれない言葉や表現に出会うかもしれません。わたしたちは、この絵本の意図をたいせつにして、できるだけそのまま訳しました。あえてその言葉を選んだ意味を想像し、人権をたいせつにした言葉や表現とは何か、考えるきっかけにしてもらえることを願っています。

ようこそ！思春期

おとなに近づくからだの成長のはなし

レイチェル・グリーナー 文　クレア・オーウェン 絵

浦野匡子　艮香織 訳・解説

大月書店

みんな、はじめは　あかちゃんだった。
いま、あなたは子ども。
想像（そうぞう）するのはむずかしいかもしれないけれど、
おとなはみんな　あなたのように
子どもだったときがあるんだ。

あかちゃんのころとくらべて、
変（か）わったところはどこだろう？
まず、からだが大きくなっているだろうし、
見た目もだいぶ変わっているかもしれない。

からだと同じように、脳も成長している！
脳は、あなたのからだをコントロールして、
あなたの考えを決めている。
この世界でどうやって生きていくか、
脳はたくさんのことを学んできた。

わたしたちは、毎日　少しずつ年をとっている。
気がつかないうちに、からだも少しずつ
変化しているね。

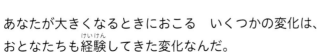

あなたが大きくなるときにおこる　いくつかの変化は、
おとなたちも経験してきた変化なんだ。

じゃあ、どうやって、子どもからおとなになるんだろう？

ほとんどのあかちゃんは、生まれたとき、
からだの見た目で　男の子または女の子とよばれる。
これを生物学的な性別っていうよ。

ペニスと睾丸（精巣）があるあかちゃんは、
男の子とか、男性とよばれる。
ペニスはおしっこをするのに使う。

バルバ＊（女性の外性器）があるあかちゃんは、
女の子とか、女性とよばれる。
バルバのあるあかちゃんは、からだのなかに、
たいてい子宮と、ふたつの卵巣をもっている。

バルバの前のほうにある小さな穴は
尿道口といって、おしっこをするとき使う。
尿道口のうしろには、膣（ワギナ）という
尿道口より大きめの穴がある。

どちらにもあてはまらないあかちゃんがいる。
こういうあかちゃんは「インターセックス」＊と
よばれることもある。

＊「バルバ」「インターセックス」については
巻末の「言葉の解説」で説明しています。

ペニスをもって生まれた人と、
バルバをもって生まれた人が、
どんな見た目で、どんな服装（ふくそう）で、
どんなふうにふるまうべきか？
みんな、いろいろな考えをもっている。
でもそれは、それぞれの考えでしかないんだ。
だれもが、自分の好きなものを
自分で決（き）めることができるんだよ。

「趣味（しゅみ）は
ケーキづくりと
サッカー」

「ピンク色は
きらい！」

「「女子」とか「男子」
とかじゃないよびかたに
してほしいな」

でも、これが「おとなになるっていうこと」と
なんの関係（かんけい）があるんだろう？

5

成長するにつれ、からだは変わりはじめる。
それは、おとなになって、もしあかちゃんがほしいと思ったら、
あかちゃんをつくることができるからだになるための準備なんだ。
こういう変化の時期を、思春期っていう。変化のおこる時期は人それぞれだよ。

思春期は、あなたの脳が　卵巣や睾丸（精巣）に、
からだを成長させるホルモンを出すように指示を出すことで
はじまるんだ。

「すごいよね!!」

思春期は、8歳くらいから　はじまる人もいれば、
14歳以上になってはじまる人もいる。

6

ホルモンの役割は、あなたのからだに
新しいはたらきをはじめるように
伝えること。
ホルモンによって、気分が大きく
変わることもあるんだ。

いままでにないような
幸せな気持ちになることもあれば、
なぜかわからないけど　不安になったり、
怒ったり、イライラしたりすることもある。
こういう強い感情は、「気分の浮きしずみ」
っていわれているよ。

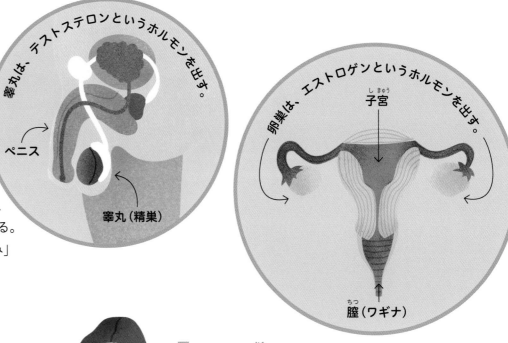

睾丸は、テストステロンというホルモンを出す。

ペニス

睾丸（精巣）

卵巣は、エストロゲンというホルモンを出す。

子宮

膣（ワギナ）

『気持ちが重いなあ…』

おとながみんな、自分のからだで　あかちゃんをつくるとはかぎらない。
できない人も、そうしたくない人もいる。
おとなになるまでには、いろいろな道のりがあるんだよ。

思春期がはじまって、最初に気がつくのは、背がのびはじめることかも！

からだや皮膚が急に成長すると、からだにうすい白や赤、紫色の線ができることがある。これは時間がたてば、だんだん消えていくよ。

わきの下やバルバのまわり、ペニスの根元など、これまで毛がはえていなかったところに毛がはえてくるかもしれない。

うでや足、口のまわりや顔のうぶ毛も、こくなったり太くなったりする。

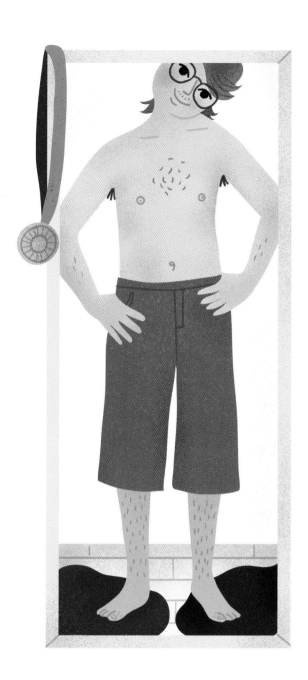

顔や背中、胸に、にきびが出はじめるのも
この時期だよ。
ほとんどできない人もいるし、
たくさんできる人もいる。
痛くなるから、つぶさないように
しよう。

思春期になると、
汗をかく量がふえるので
においが気になるかもしれない。
きちんと洗えば、さっぱりするし、
においも少なくなる。

においをおさえるデオドラント用品や、
汗を出にくくする制汗剤を使ってみたいと思う人もいるかもしれない。
スプレー、スティック、シートタイプのものがある。

**髪をきれいにしたり、歯をみがくのとおなじように、
自分のからだにあったケアの方法を知ることは、
成長していくときに大事なことだよ。**

9歳から12歳くらいになると、
バルバをもって生まれた人の多くは
乳房の成長がはじまる。

乳房や乳首には、さまざまな形や色、
大きさがある。
からだは、ひとりひとり　みんな個性的。
はじめのうちは乳首の内側に少し
痛みを感じる人もいるけれど、
時間とともに、乳房は大きく
なり、痛みも少なくなる。
乳首が大きくなったり、
色が濃くなったり
する人もいるよ。

スポーツブラ

ワイヤーブラ

ブラレット

走ったり、スポーツやエクササイズをしたりすると、
胸が痛くなる人もいるかもしれない。
とくに、胸が大きい人は、ブラジャーをつければ
楽になるかもしれないね。

10

バルバをもって生まれた人の多くは、思春期(ししゅんき)がはじまると、腰(こし)のはばが広がって、お尻(しり)がちょっと大きくなるんだ。

それから、下着(したぎ)に、透明(とうめい)や黄色や白の液体(えきたい)のあとが少しついているのに気がつくかもしれないね。これは、膣(ちつ)(ワギナ)をきれいにたもつためのはたらきで、ふつうのことなんだよ。

こうした変化(へんか)は、人によって　はやさがちがうし、ほかの人より　変化が大きい人もいるんだ。

思春期になると、バルバをもって生まれた人のほとんどは月経がはじまる。
これは、いつかあかちゃんを産むことができるように、からだがはじめる
準備のひとつなんだ。

バルバがある人のからだには、たいてい子宮とふたつの卵巣がある。
子宮はあかちゃんをそだてるための場所だよ。

卵巣は卵子をつくってためておくところ。
卵子は、おとながあかちゃんをつくるのに必要なもの。
針の先くらいの小ささなんだ。

思春期がはじまると、ホルモンが指示を出して、
卵子は卵巣から卵管を通って
子宮に送り出される。

子宮は、この卵子があかちゃんになるときのために、
たくさんの血液をふくんだやわらかい細胞の層をそだて、
卵子がそだつための準備をはじめるんだ。
卵子があかちゃんにならない場合、子宮は血液や卵子、
そのほかの細胞を出そうとする。

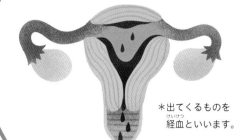

これらの細胞は、
血液といっしょに膣（ワギナ）
を通って、からだの外へ出される。

＊出てくるものを
経血といいます。

これを月経というよ。

多くの人の場合、月経は月に1回くらいおこり、
3日から8日間ほどつづく。
月経の間隔がもっと長い人も、短い人もいるよ。
ほとんどの人は、45歳から55歳くらいになると
月経は止まるんだ。

月経の影響は人それぞれだから、月経がある人は、
自分なりのつきあいかたを見つけていくんだ。

布ナプキン

使い捨てナプキン

月経用パンツ

経血を受けとめるナプキンを
下着に貼ったり、月経用パンツを
使う人もいる。

月経
カップ

タンポン

膣（ワギナ）の中に、タンポンや
何度も使えるゴム製の月経カップを
入れる人もいる。

月経前に胸が痛くなる人もいる。ホルモンが からだじゅうをかけめぐるので、
気分の浮きしずみや、感情のゆれがあるかもしれないね。

また、月経の前や月経中に、にきびが
できる人もいるよ。

月経になると、少しおなかが痛くなったり、
違和感を感じることがある。
ふだん通りにすごせる人が多いけれど、そうでない人もいるんだ。

**月経について質問があるときや、だれかに話したいときは、
信頼できるおとなに相談しよう。**

15

12歳から14歳くらいになると、ペニスをもって生まれた人の多くは、背がのびて、毛ぶかくなりはじめる。

『眉毛をきれいに
見せたいんだ』

わきの下やペニスの根元に
毛がはえるだけでなく、
顔や胸、背中にも毛が
はえはじめることがあるよ。

『ときどき
電動シェーバーを使うよ』

あごと口のまわりのひげは、最初は
ポツポツとはえてくるかもしれない。
そのままにしておく人もいるけれど、
カミソリを使って毛をそりたくなる
人もいるかもね。
これには練習が必要だから、なれる
までは信頼できるおとなに手伝って
もらうといいよ。

『毎日カミソリと
シェービングフォームを
使っているよ』

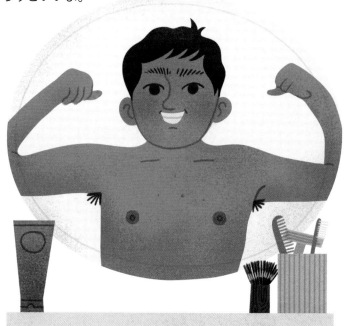

睾丸（精巣）やペニスが大きくなりはじめていることに
気づく人もいるかもしれない。
睾丸やペニスには、さまざまな形、色、大きさがあるよ。
人のからだは　それぞれちがっているんだ。

あかちゃんのころに、ペニスの先端を
おおっている皮（包皮）を切った人も
いるかもしれない。それを割礼というよ。

ペニスをもつほとんどの人は、
14歳か15歳くらいになると、声が少し低くなる。
これは「声変わり」といわれるんだ。

声変わりのあいだは、声がいつものように聞こえることもあれば、
いままでとちがう低い声になることもある。
人によっては、のどぼとけが少し出はじめるかもしれない。
どちらも痛みや苦痛を感じるものではないよ！

**こうした変化は、進みかたがはやい人も遅い人もいるし、
変化のていども人それぞれなんだ。**

17

思春期になると、ペニスをもって生まれた人の
ほとんどが、ときどきペニスがかたく、大きくなり、
上向きに立ち上がることが多くなるのに気づくだろう。
これを勃起というよ。

勃起は昼でも夜でも、
何の前ぶれもなくおこることがある。

睾丸（精巣）では精子がつくられる。
精子は、おとながあかちゃんをつくろうと思ったときに必要になる。
精子はとっても小さくて、おたまじゃくしのような　くねくねしたしっぽがある。

夜、寝ているあいだに勃起し、睾丸の中の精子が、
ねばり気のある白い液体といっしょに
ペニスの先から出てくることがある。
これは「夢精」とよばれるもので、
おねしょではないんだ。

くしゃみを止められないのと同じように、
夢精を止めることはできないんだ！

思春期に夢精がおこるのは　ふつうのこと。
おとなになるころには、たいてい、夢精はおこらなくなる。

19

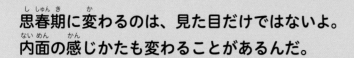

思春期に変わるのは、見た目だけではないよ。
内面の感じかたも変わることがあるんだ。

たくさんのホルモンが　からだじゅうをかけめぐっているとき、
これまで以上に大きく、強い感情があらわれるのはふつうのこと。

友だちに対して、とても強い感情をもつことがある。
世界で最高の友だちだと思って、どんなときもいっしょに
いたいと思うかもしれない。
相手も同じように思っているなら、すばらしいことだね！

でも、もし相手が同じように感じていなければ、
あなたは悲しくなったり、腹が立つかもしれないね。

もしかしたら、友だちといっしょにいても、
あなたはぜんぜん楽しくない時間をすごして
いるかもしれない。

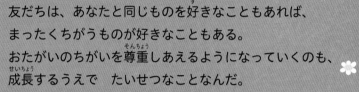

友だちは、あなたと同じものを好きなこともあれば、
まったくちがうものが好きなこともある。
おたがいのちがいを尊重しあえるようになっていくのも、
成長するうえで　たいせつなことなんだ。

年を重ねると、友だち関係が変わっていくのは
ごくふつうのこと。
友だちとの関係が深まることもあれば、
関係が終わりになることだってある。

いっしょにいても楽しくないとか、
自分にとっていいことがないと感じる
ときがあるなら、つきあうのをやめて、
やり直したほうがいいこともあるよ。
成長してから、むかしの友だちと
また仲良くなることだって
あるしね。

もし、あなたを悲しませたり、不安にさせたり、
傷つけたりする友だちがいたら、
信頼できるおとなに話して、助けてもらおう。

おとなになっていくのに必要なことのひとつが、
境界を学ぶこと。つまり、自分にとって、
まわりの人にとって、何がOKで
何がOKじゃないかを学ぶことなんだ。

自分がどう感じているかに敏感になることで、境界を学ぶことができる。
わたしたちは自分のからだを使って、いろいろな方法で気持ちを
あらわしているよ。ハグしたり、キスをしたり、くすぐったり！

でも、もしだれかに何かを
されて、あなたが不安に
なったり、困ったり、不快に
感じたりするのであれば、
それはやめてほしいこと
だと、あなた自身は
わかるはずだよ。

ハグされたり、くすぐられたり、キスされたりするのが
いやなら、「いやだ」と言おう。
もし、前に「くすぐってもいいよ」と言ったとしても、
いま、いやだと感じたら「やめて」と言っていい。
あなたが「やめて」と言ったら、
相手はほんとうにやめなくてはいけないんだ。

ほかの人が、どんなふうに感じているかを
伝えてくれたときも、それをきちんと受けとめよう。
「やめて」と言われたらストップ。
「いやだ」と言われたら、ぜったいにノー
という意味だからね。

とくに、からだの見せたくない部分を見せて
ほしいと言われたり、さわってほしくない部分を
さわらせてほしいと言われたら、
「いやだ」と言うことがとてもたいせつだよ。
相手が言うことをきいてくれないときは、
すぐに信頼できるおとなに話そう。

友だちとの関係を考えて、
まわりに合わせなくちゃいけないと
感じることもあるかもしれない。

「いやだ」と言える人になるのは　むずかしいかもしれないけれど、
自分で決めて、正しいと思うやりかたで行動できるようになることは、
おとなになるにあたって　とても大事なんだ。
あなたの人生は　あなただけのものだよ！

23

携帯電話やタブレット、コンピューターはとても便利なものだね。
友だちや家族と連絡をとりあったり、動画を見たり、ゲームで遊んだりもできる。
けれど、こういう時間を楽しくすごすためには、かしこい使いかたを
知る必要があるんだ。

知っている人が、ネット上では　ふだんとちがう
行動や姿を見せることがある。
メッセージのなかで　いじわるなことを言ったり、
あなたを不安にさせたり、困らせたり、心配させたりするような
ことをたのんだりするかもしれない。

だれかが　ひどいメッセージを送ってきたり、
いやなことをたのんできたりしたら、
かならず信頼できるおとなに伝えよう。

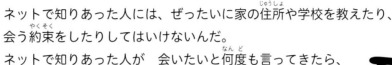

オンラインで見たいものがあっても、
勝手に別のものが画面に出てくることがある。
見たくないものや、よくわからないものがあったら、
電源を切り、信頼できるおとなに探すのを手伝ってもらおう。

ネットで知りあった人には、ぜったいに家の住所や学校を教えたり、
会う約束をしたりしてはいけないんだ。
ネットで知りあった人が　会いたいと何度も言ってきたら、
すぐに信頼できるおとなに伝えてほしい。

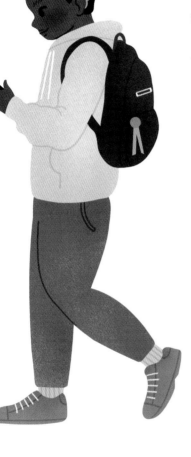

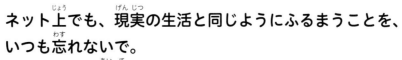

ネット上でも、現実の生活と同じようにふるまうことを、
いつも忘れないで。
現実の生活で相手に言わないようなことは、ぜったいに言わない！

自分がいつかおとなになるなんて、
いまは考えられないかもしれないね。
でも、思春期はだれにでもやってくる。

26

あなたは、そのままでかけがえのない存在。
子どもからおとなになるまでの道のりは、
あなただけの特別なできごとなんだ！

性別ってなに？

あかちゃんが生まれると、お医者さんや助産師さんが、その子にペニスがあるかバルバがあるかを見る。ペニスがあるあかちゃんは男の子（男性）とよばれ、バルバがあるあかちゃんは女の子（女性）とよばれる。これを生物学的な性別というよ。

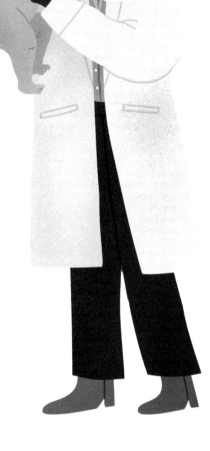

あかちゃんが大きくなると、自分自身のことや、自分がどういう人間なのかについて、もっと理解するようになる。たいていの人は、生まれたときに決められた性別が、自分にとって正しいものだと感じるようになる。

生まれたときの性別が、自分にとって正しい性別ではなかったと感じる人もいる。
たとえば、生まれたときは女の子と言われたけれど、自分は男の子だと感じている人、あるいは、男の子と言われたけれど、女の子だと感じている人もいる。

自分が男の子でも女の子でもないと感じる人もいれば、日によって感じかたが変わる人もいるよ。男の子と感じるか、女の子と感じるか、またはどちらでもないとか、両方のように感じる……など、自分の性別の感じかたを、その人の「性自認」とよぶ。
だれもが「性自認」をもっている。自分の性自認が何なのか、小さいころにわかる人もいれば、10代やおとなになってはじめて、はっきりとわかる人もいるんだ。

ネットやオンラインの安全がたいせつなわけ

ネット（オンライン）で何かを投稿すると、それは永久に残る。これは
その人のデジタル・フットプリント（デジタルの足あと）とよばれるも
ので、あなたのデジタル・フットプリントは成長とともに大きくなっ
て、あなたの情報がためこまれていくんだ。

自分の写真をだれかに送った場合、その相手が写真
をだれに見せるか、ネット上に公開するかどうかを、
止めることはむずかしい。

とくに、自分のからだのプライベートな部分の写真をとったり、
だれかに送ったりしないことがたいせつなんだ。もしだれかに
たのまれたら、すぐに信頼できるおとなに相談しよう。

スマホやSNSなど、オンラインを使ったいじめは「ネットいじめ」と
いわれている。
とくに、自分では変えられないことを理由に、その人を傷つけるのは、と
ても深刻な人権侵害だ。たとえば、肌の色、耳の聞こえ、歩くのに特別
な器具が必要であること、宗教、母親が2人いること、おばあちゃんに
そだてられている……などは、自分では変えられないことだよ。
ネットいじめを受けたら、できるだけはやく信頼できるおとなに伝えよう。

相談相手を見つけよう

思春期に入ると、その変化にとまどったり、気持ちがゆれ動くことがある。いちばん
たいせつなことは、信頼できるおとなに相談することなんだ。あなたにとって、信頼
できるおとなってだれだろう。親、おばあちゃんやおじいちゃん、里親、学校の先生、
お医者さん、保健室の先生、カウンセラー、身近なおとなの中にいるかな。
力になってくれるおとなはかならずいるよ。
※巻末に日本の相談窓口を紹介しています。

インターセックス (p.4)

生まれたときの性的特徴（性器、生殖腺、染色体パターンなど）が、一般的とされる男性のからだ、女性のからだの二分化にあてはまらない人のこと。

月経（生理）(p.12-15)

子宮から血液と細胞が膣（ワギナ）を通り、外に出てくること。

睾丸（精巣）(p.4, 17-19)

ペニスの後ろにあり、からだの外側にある外性器。精子はここでつくられる。

子宮 (p.12-13)

月経（生理）がおきる器官であり、あかちゃんがそだつ場所でもある。

思春期 (p.6-7)

人のからだが、子どもからおとなのからだに変化する時期。

女性 (p.4)

バルバをもって生まれたあかちゃんの生物学的性別をあらわす言葉。

精子 (p.18-19)

人の睾丸（精巣）の中でつくられ、あかちゃんをつくるのに必要な細胞。

性自認 (p.28)

自分が男の子か女の子のどちらか、またはどちらでもない、両方であるなど、自分の性別の感じかたを、その人の「性自認」とよぶ。

生物学的性別 (p.4, 28)

あかちゃんの生物学的性別は、生まれたときにバルバがあるか、ペニスがあるかで決まることが多い。

男性 (p.4)

ペニスをもって生まれたあかちゃんの生物学的性別をあらわす言葉。

膣（ワギナ）(p.4, 7, 11, 13)

子宮から膣口につながる管のこと。

乳房 (p.10)

胸がふくらんで乳房になる。あかちゃんが生まれると、栄養を与えるための母乳が乳房でつくられる。

デジタル・フットプリント (p.29)

ネット上にあげたコメントや写真などが一生、残りつづけていくこと。

尿道 (p.4)

ペニスの先、またはバルバの前部にある穴から、おしっこ（尿）をからだの外に出すための管のこと。

ネットいじめ (p.29)

スマホやSNSなど、オンラインのメッセージやチャットグループを通じておこなわれるいじめ。

バルバ（女性の外性器）(p.4, 10-12)

バルバは、からだの外側にあり、さまざまな部分からできている。前部には尿道とよばれる管につながる小さな穴（尿道口）があり、ここから尿（おしっこ）が出る。尿道の後ろには、膣（ワギナ）とよばれる管につながる膣口（尿道口より大きな穴）がある。

ペニス（男性の外性器）(p.4, 7, 16-19)

睾丸（精巣）の前にあり、からだの外側にある性器。

勃起 (p.18-19)

ペニスの海綿体に血液が流れこみ、かたくなったペニスが立ち上がること。

ホルモン (p.6-7, 12, 15)

からだの中でつくられる化学的な物質で、からだのある部分を変化させたり、それまでとちがったはたらきかたをするようにうながす。

夢精 (p.19)

寝ているときに勃起し、睾丸でつくられた精子が、ねばり気のある白い液体（精液）といっしょにペニスの先から出てくること。

卵子 (p.12-13)

人の卵巣の中でつくられ、あかちゃんをつくるのに必要な細胞。

卵巣 (p.7, 12-13)

からだの中で、卵子がつくられ保存されるところ。

訳者からの補足の解説

性別で分けない人称代名詞 (p.5)

日本語訳で「『女子』とか『男子』とかじゃないよびかたにしてほしいな」としたセリフは、原文では「He や She ではなく They と呼んでほしい」となっています。英語では「彼（He）」「彼女（She）」といった人称代名詞を使いますが、その人自身の性自認がわからない場合や、男女に区別しない呼びかたを望んでいる場合、性別を特定しない They（彼ら）を単数形として「その人」のような意味で使うことが近年ふえています。日本語には訳しにくいので、ここでは性別を特定しないという意図を大事にした表現にしました。

デオドラント用品 (p.9)

デオドラント用品の定義はそれぞれの国によって少し異なります。日本では、においをおさえるデオドラントと、汗を出しにくくする制汗剤を合わせてデオドラント用品といいます。からだがまったく同じ人がだれひとりいないように、からだのにおいも一人ひとりちがうので、気にしすぎる必要はありません。デオドラント用品を使う場合は、成分が肌に合うかどうかにも気をつけましょう。

信頼できるおとな (p.15, 21など)

「信頼できるおとな」という言葉がたびたび登場しますが、では、どんなおとなら信頼できるのでしょう。まず、あなたの言うことを最初から最後まで聴いてくれる人です。おとなだからといって、すべてのことを知っているわけではありません。あなたが信頼できると思って話したとしても、もしかしたら信じてくれないこともあるかもしれません。もし、そういうことがあっても、だれかちがう人に話してみてください。あなたの話を聴いて、解決に向けて動いてくれるおとながかならずいます。また、相談することや、困りごとを解決することは、あなたが幸せに生きるために当然、たいせつにされるべき権利です。最初から決めつけずに、いろいろな人を思い浮かべてみてください。

思春期の相談ができる窓口や団体

日本国内で匿名（名前を言わない）・無料で相談できる窓口を紹介します。ここにあげた相談窓口がすべてではないので、自分にあった相談窓口が見つかるまで探してみてください。あなたに合った相談窓口がきっとあります。相談できること、相談を聞いてもらうことって、とてもたいせつな権利です。

チャイルドライン

18歳までの未成年からの相談全般。
チャットでも相談できます。

電話 0120-99-7777（フリーダイヤル）
＊公衆電話や携帯からもかけられます

https://childline.or.jp/
＊毎日午後4時から午後9時（詳細はHP）

JFPA思春期・FP相談LINE（日本家族計画協会）

思春期のからだに関する心配ごとを
LINEで相談できます。

https://www.jfpa.or.jp/puberty/telephone/
＊月曜～金曜午前10時から午後4時（到着順で回答）

SNS相談 Curetime（内閣府）

性暴力（性にかかわっていやなことをされたとき）の相談ができます。

https://curetime.jp/
＊毎日午後5時～9時

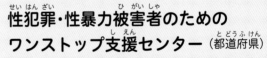

性犯罪・性暴力被害者のためのワンストップ支援センター（都道府県）

性暴力に関する緊急の相談窓口。
最寄りのワンストップ支援センターにつながります。

全国共通短縮番号

#8891（はやくワンストップ）
＊センターによって受付時間が異なります。

この絵本を手に取ってくださったみなさんへ

　この絵本は、イギリスでつくられた幼児向けの性教育の絵本『ようこそ！あかちゃん』の続編です。前作と同じく、この絵本でも、あらゆる多様性が意識され、さまざまな解釈にひらかれています。この世界にはたくさんの人間が、それぞれちがう考えかたや行動をしており、まったく同じ人間はいません。だからこそ、一人ひとりがかけがえのない特別な存在であるということに、あらためて気づかされます。

　このことを前提として、幅広く性のことを知り、自分のことを自分で選び、決められる力を身につけることは、本来だれもが当たり前に守られるべきこと（権利）です。この絵本は、思春期が自分と他の人とのちがいに敏感になることの多い時期だからこそ、多様性を前提に、思春期のからだや気持ちの変化を知り、どうすればよい状態にできるか（セルフケア）や、悩みを解消するにはどうすればいいかを伝えています。そして、社会のなかにある「こうあるべき」という思い込みが、一人ひとりの生き方を窮屈にしていないかと、問いかけてもいるのです。

　人権にかかわる考えかたは、一人ひとりのちがいを前提に、対話を重ねることで更新され、積み上げられてきた歴史があります。性やジェンダーに関する言葉や表現も同じく、たえず更新されていくものです。そのため、もしかしたら、この絵本に見られる言葉や表現に違和感をおぼえることもあるかもしれません。でも、つくり手がなぜその言葉や表現を使っているのか、それによってどんな多様性を尊重しようとしているのかを想像してみてください。この絵本が、人権をたいせつにした社会をつくるための対話のきっかけとなることを願っています。

2024年1月　浦野匡子　艮香織

● 文
レイチェル・グリーナー
Rachel Greener
子どもの本の編集者。イギリス・ロンドン在住。

● 絵
クレア・オーウェン
Clare Owen
イラストレーターとして多方面で活躍。
イギリス・ブリストル在住。

● 訳・解説
浦野匡子（うらの まさこ）
和光幼稚園教諭。“人間と性”教育研究協議会「乳幼児の性と性教育サークル」運営委員。共著に『からだの権利教育入門　幼児・学童編』（子どもの未来社）、共訳書に『ようこそ！あかちゃん』（大月書店）。

艮 香織（うしとら かおり）
宇都宮大学教員、“人間と性”教育研究協議会幹事。共著に『ハタチまでに知っておきたい性のこと』『性教育はどうして必要なんだろう？』（ともに大月書店）、共訳書に『ようこそ！あかちゃん』（大月書店）、『国際セクシュアリティ教育ガイダンス［改訂版］』（明石書店）。

ようこそ！思春期
おとなに近づくからだの成長のはなし

2024年2月15日　第1刷発行

　　文　レイチェル・グリーナー
　　絵　クレア・オーウェン
訳・解説　浦野匡子、艮香織
　発行者　中川 進
　発行所　株式会社 大月書店
　　　　　〒113-0033 東京都文京区本郷 2-27-16
　　　　　電話 03-3813-4651（代表）
　　　　　FAX 03-3813-4656
　　　　　振替 00130-7-16387
　　　　　http://www.otsukishoten.co.jp/
　　編集　岩下 結
　　DTP　なかねひかり
印刷・製本　光陽メディア

ⓒ M. Urano & K. Ushitora 2024
ISBN 978-4-272-40716-3 C0337　Printed in Japan

定価はカバーに表示してあります。